Leo Brouwer

*1939

Elogio de la danza

(1964)

para Guitarra
for Guitar
für Gitarre

GA 425
ISMN 979-0-001-09675-1

www.schott-music.com

Mainz · London · Berlin · Madrid · New York · Paris · Prague · Tokyo · Toronto
© 1972 SCHOTT MUSIC GmbH & Co. KG, Mainz · © renewed 2000 · Printed in Germany

ELOGIO DE LA DANZA

para guitarra

Leo Brouwer
(1964)

I - Lento

II - Obstinato

*) stroke on the bridge
Schlag auf den Steg